D1088153

Le feu

Andrew Charman – Christel Delcoigne

Éditions Gamma – Les Éditions École Active

L'édition originale de cet ouvrage
a paru sous le titre : *Fire*

96 Leonard Street
London EC2A 4RH

Adaptation française de
Christel Delcoigne

D/1994/0195/3
ISBN 2-7130-1522-7
(édition originale :
ISBN 0-7496-1145-6)

Exclusivité au Canada :
Les Éditions École Active
2244, rue de Rouen
Montréal (Québec) H2K 1L5
Dépôts légaux, 1er trimestre 1994
Bibliothèque nationale du Québec
Bibliothèque nationale du Canada
ISBN 2-89069-369-4

Loi n° 49-956 du 16 juillet 1949
sur les publications destinées
à la jeunesse

Imprimé en Italie
par G. Canale & C. SpA

Sommaire

Le feu et la vie

Grâce au soleil qui la réchauffe, notre Planète peut accueillir des formes de vie. Le Soleil est une immense sphère de feu. Sans sa chaleur, la Terre serait trop froide pour que nous y vivions. L'homme a appris à maîtriser et à utiliser le feu. Il s'en sert pour fabriquer des objets et cuire des aliments. Le feu est aussi source d'**énergie** pour le chauffage des habitations et pour le transport.

▽ Les objets très chauds produisent une lumière. C'est pour cela que le Soleil est si éclatant. Pour ne pas te blesser les yeux quand tu regardes le Soleil, porte de bons verres solaires.

Le feu dans la terre

Loin dans le centre de la terre, dans le noyau, la température est très élevée : quelque 4 500 degrés **Celsius**. Les roches des couches externes du noyau ne sont pas aussi profondes, mais elles sont tellement bouillantes qu'elles sont **en fusion**. Au-dessus se trouve le manteau. L'eau qui est chauffée au plus profond de la Terre remonte parfois en sources jaillissantes appelées geysers.

▷ Un geyser est une source d'eau bouillante ou de vapeur jaillissant par intermittence. L'eau est chauffée profondément sous le sol.

▽ Imagine que tu puisses prélever une immense carotte de terre depuis la croûte jusqu'au noyau. Tu verrais apparaître ses différentes couches.

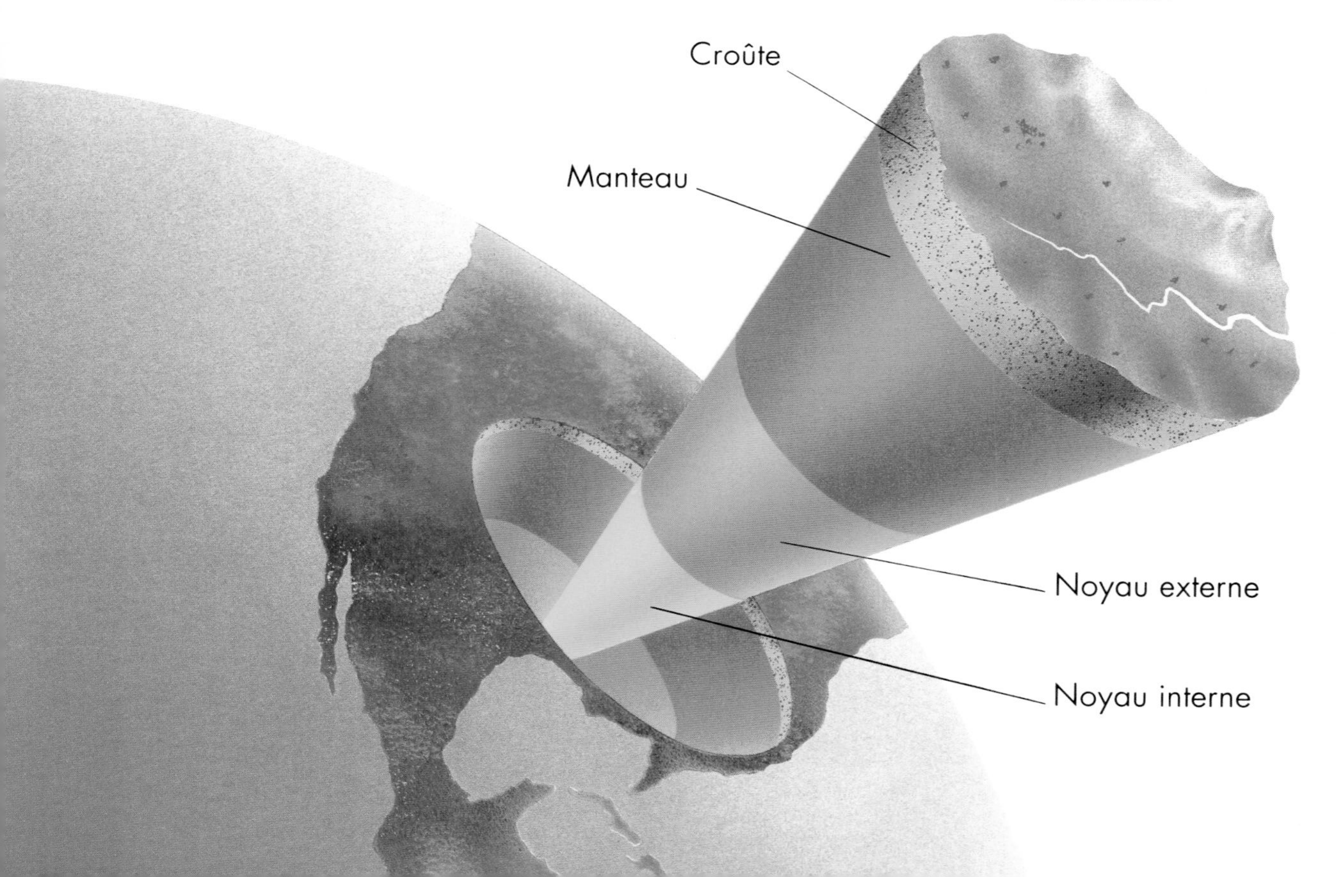

◁ Ces singes sont des macaques japonais. Pour se réchauffer, ils prennent des bains dans une source d'eau chaude.

Les volcans

La roche en fusion au plus profond de la Terre s'appelle **magma**. Les volcans sont des ouvertures dans la surface dure de la Terre, l'**écorce**. C'est par là que le magma et les gaz s'échappent parfois. C'est ce qu'on appelle une éruption. Lorsque le magma atteint la surface de la Terre, il prend le nom de **lave**. Lorsque celle-ci coule, elle durcit pour former des roches.

▽ Un volcan en éruption crache de la lave, de la fumée et des morceaux de roche très haut dans l'atmosphère. Cela peut détruire les villes et villages avoisinants.

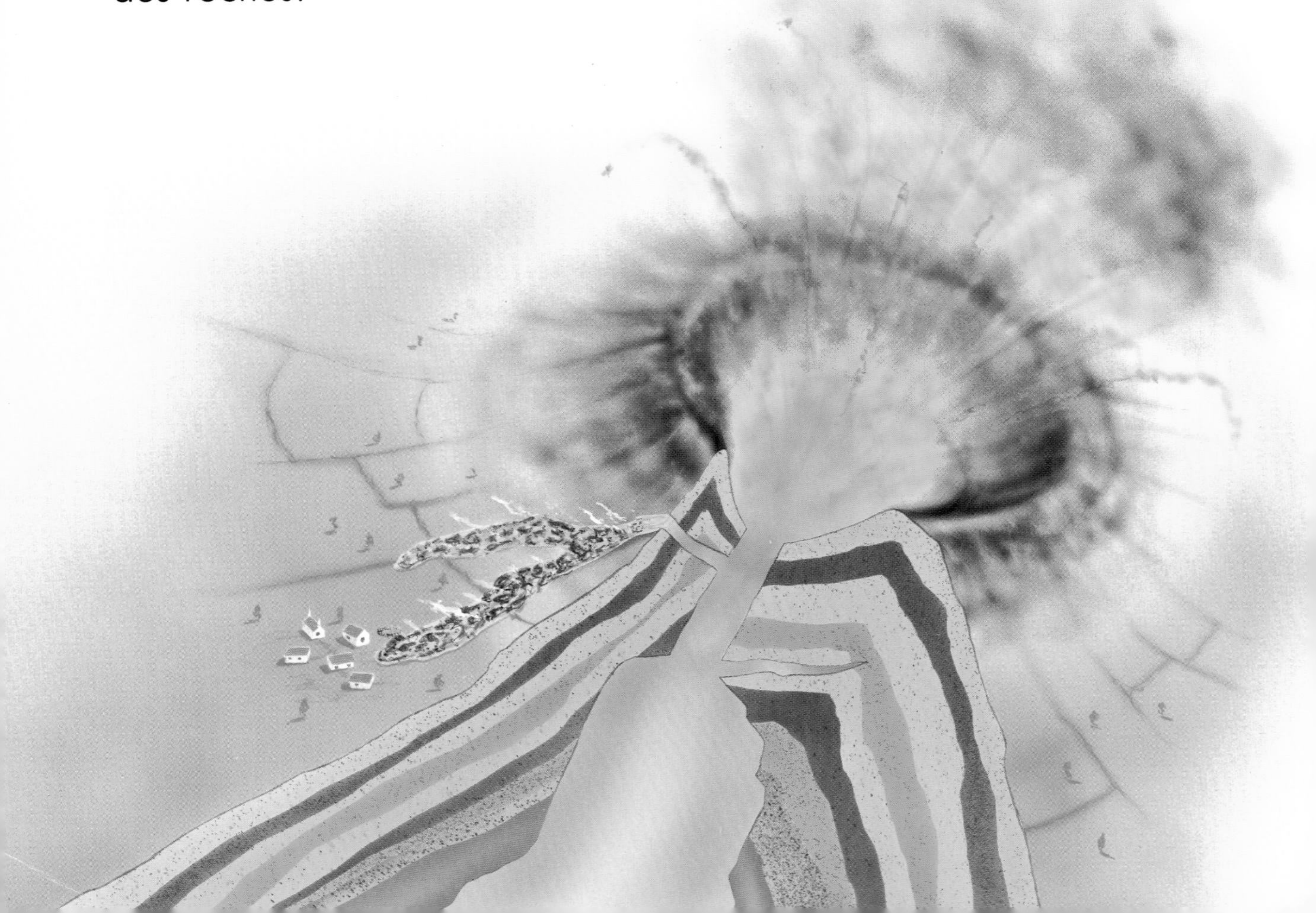

◁ Cette colline est en fait l'intérieur d'un vieux volcan. Elle est constituée de lave solide.

▽ Lorsqu'un volcan entre en éruption, de la lave rouge vif s'écoule rapidement. Elle brûle tout sur son passage.

Qu'est-ce que le feu ?

Le feu est un dégagement de chaleur, de lumière et, habituellement, de flammes qui se produit lorsque quelque chose brûle. Pour brûler, tout feu a besoin d'un **gaz** appelé **oxygène**. L'air contient de l'oxygène. C'est pourquoi le fait d'attiser ou de souffler sur un feu le rend plus fort. La plupart des matières brûlent. Certaines s'enflamment à des **températures** plus basses que d'autres.

▷ Beaucoup d'agriculteurs brûlent le chaume qui reste sur les champs. Ils doivent faire très attention car le feu s'étend rapidement. En effet, l'air contient de l'oxygène.

▽ Le pétrole est enflammé au sommet de cette plate-forme. C'est un combustible très inflammable.

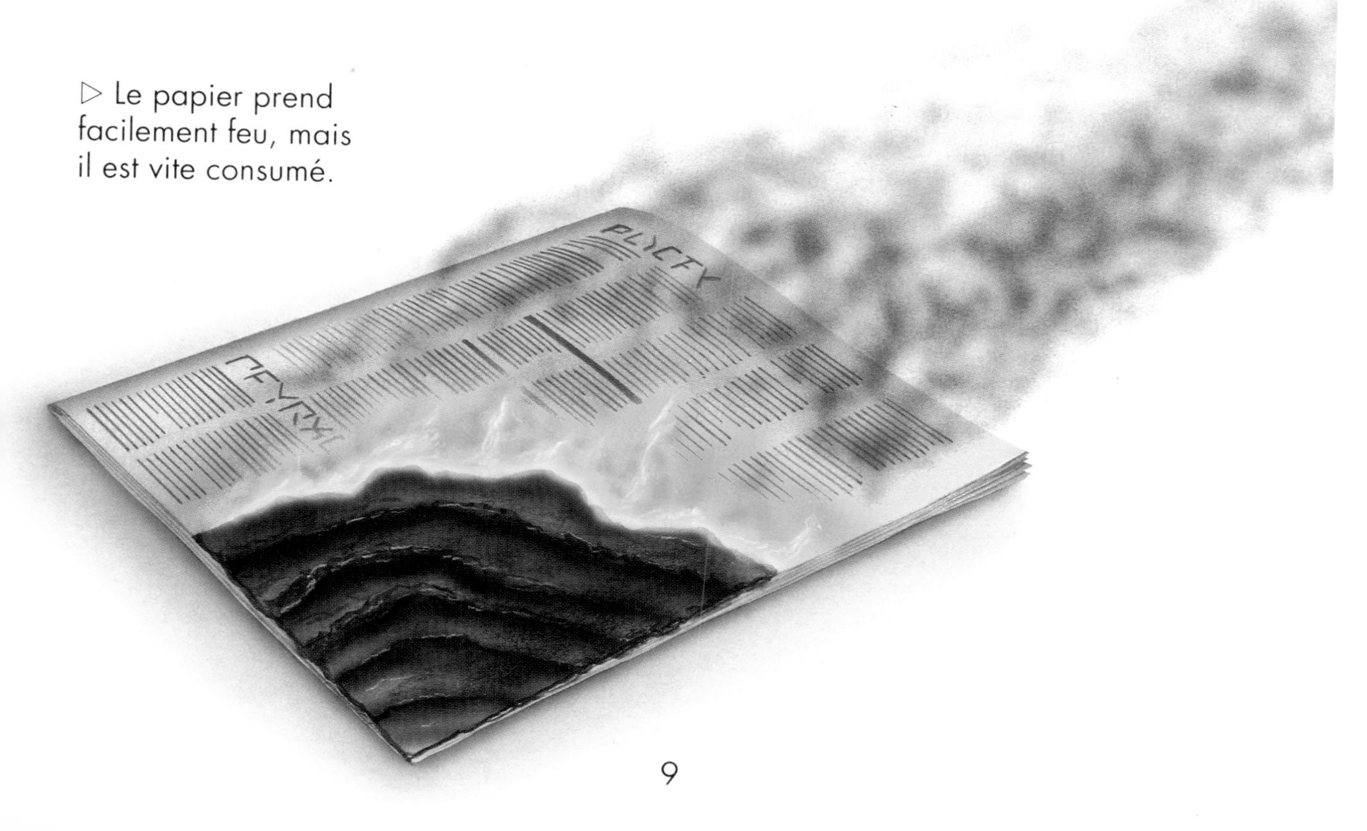

▷ Le papier prend facilement feu, mais il est vite consumé.

Faire du feu

Il y a un peu plus de 450 000 ans, l'homme découvrait comment faire du feu. Tu peux produire du feu en frottant deux bâtonnets secs l'un contre l'autre. Cela crée une énergie qui échauffe les bâtonnets. À la longue, ils finissent par s'allumer et brûler. De même, frotter une pierre ou un morceau de métal contre une autre matière dure provoque parfois une étincelle. Une étincelle peut engendrer un feu si elle tombe sur quelque chose d'inflammable.

▽ Ce forgeron porte des lunettes pour se protéger la vue des étincelles alors qu'il polit une barre de fer.

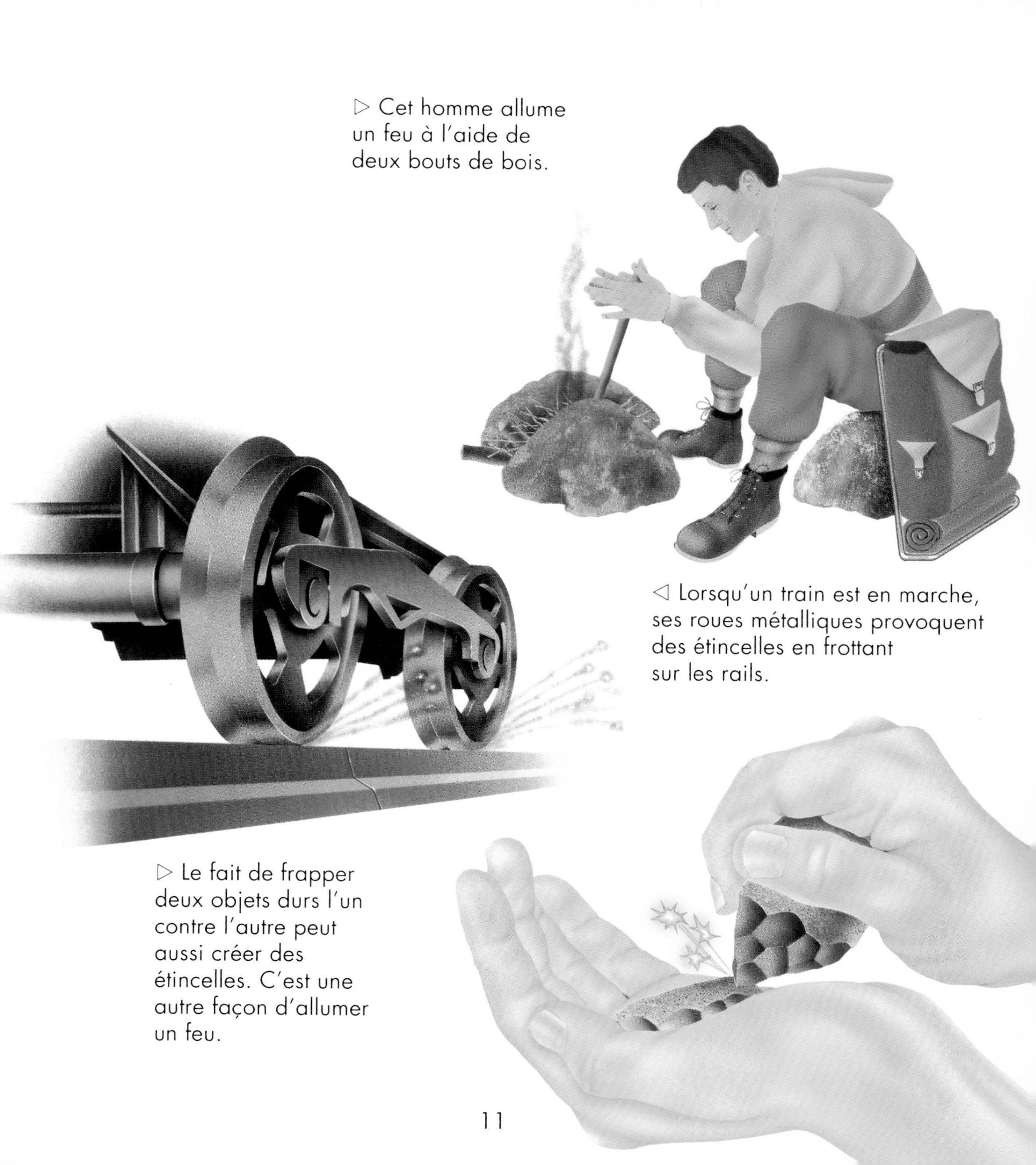

▷ Cet homme allume un feu à l'aide de deux bouts de bois.

◁ Lorsqu'un train est en marche, ses roues métalliques provoquent des étincelles en frottant sur les rails.

▷ Le fait de frapper deux objets durs l'un contre l'autre peut aussi créer des étincelles. C'est une autre façon d'allumer un feu.

Le feu : chaleur et lumière

Dans beaucoup de régions du monde, des gens font du feu pour se chauffer. Ils brûlent du bois ou du charbon dans un foyer. Les systèmes de chauffage modernes brûlent du gaz ou du mazout. La flamme créée par ces combustibles sert à chauffer de l'eau. Des objets très chauds, tels qu'une bougie allumée ou un fil électrique chauffé dans une ampoule, émettent une lumière. Ils sont incandescents.

▽ Le bois brûle bien. C'est un combustible facilement inflammable. Des cheminées à feu ouvert réchauffent les maisons un peu partout dans le monde.

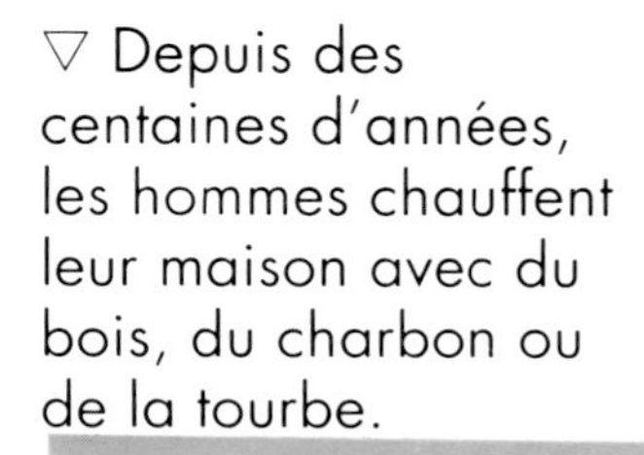

▽ Depuis des centaines d'années, les hommes chauffent leur maison avec du bois, du charbon ou de la tourbe.

◁▷ C'est la flamme de la bougie qui fournit de la lumière. Le fin fil électrique à l'intérieur d'une ampoule brille quand il est chaud. La lumière ainsi produite est plus forte.

Le feu et la cuisson

Il y a longtemps, les hommes ont découvert qu'ils pouvaient cuire leurs aliments avec du feu. La nourriture peut être cuite à l'extérieur sur une simple flamme. Beaucoup de chaleur se perd alors à l'air libre. De simples poêles consument du bois sans perdre trop de chaleur. Les cuisinières au gaz modernes fonctionnent grâce à une flamme dont on peut contrôler l'intensité. Les cuisinières électriques présentent un anneau de métal qui peut chauffer beaucoup.

▷ Les fourneaux où l'on brûle du bois exigent peu de combustible. Ils sont très pratiques car ils permettent d'économiser le bois ainsi que le temps nécessaire pour le rassembler.

▽ Tu peux cuire des aliments sur un simple feu. Il te suffit de protéger la nourriture des flammes en la déposant sur une grille pour ne pas qu'elle brûle.

▷ Les cuisinières modernes sont d'utilisation aisée. Elles limitent au maximum la perte de chaleur.

Le feu dans l'industrie

▷ Dans les hauts-fourneaux, dont la température est très élevée, le métal est fondu et devient liquide.

Le feu est utilisé dans l'**industrie** pour transformer des matériaux. Ainsi, grâce à lui, le métal peut être plié plus facilement. Le feu est capable de faire passer un métal à l'état liquide. Le métal peut alors être moulé dans la forme voulue. Les briques sont des blocs d'argile humide qui ont été «cuits». La chaleur les fait sécher et durcir. Les assiettes et les tasses sont fabriquées de la même façon.

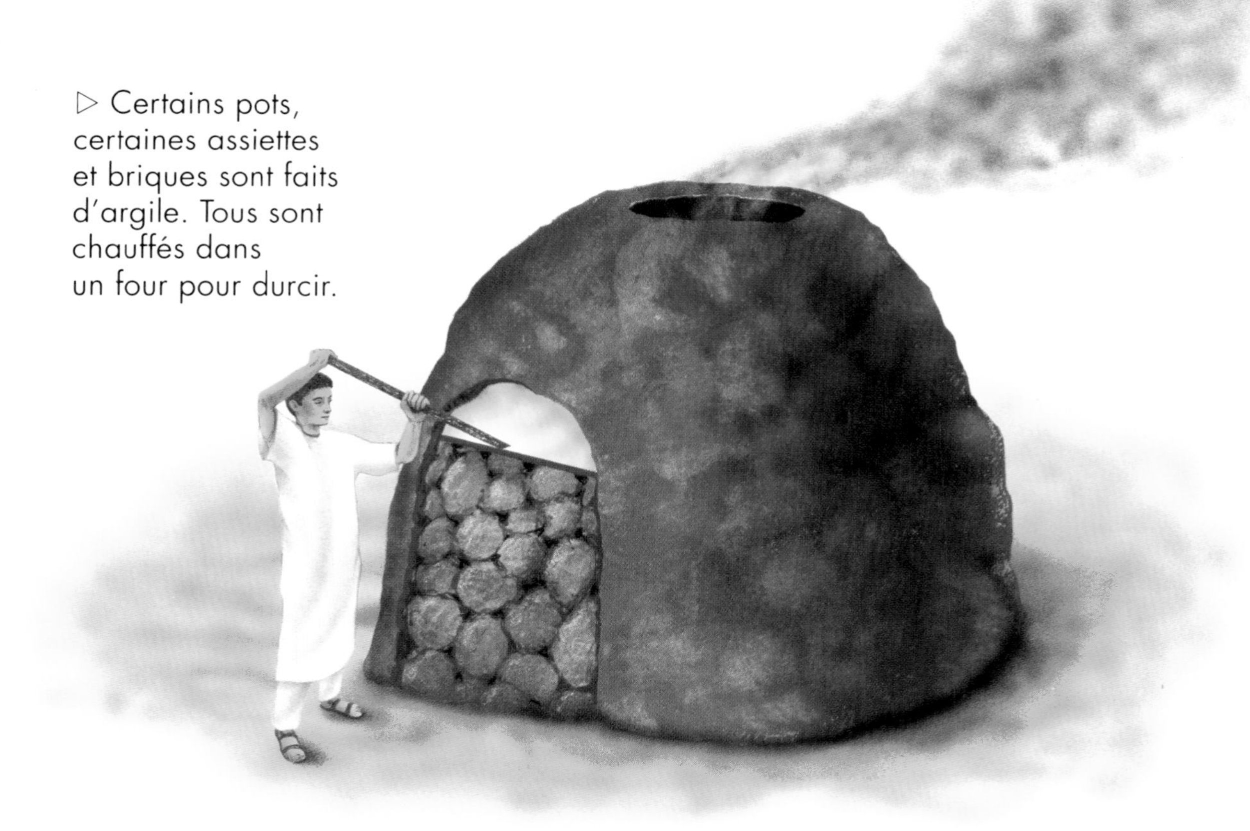

▷ Certains pots, certaines assiettes et briques sont faits d'argile. Tous sont chauffés dans un four pour durcir.

▷ Pour faire du verre,
il faut d'abord chauffer
les matières qui
le composent. Ensuite,
le verre peut être moulé.
Cet homme est en train
de souffler du verre.

L'énergie du feu

Le charbon, le gaz, le pétrole et le bois sont différents **combustibles** que nous brûlons pour l'énergie qu'ils dégagent. Celle-ci peut être utilisée de diverses façons. Les voitures, camions, avions, trains et bateaux brûlent du combustible pour se déplacer. Nous brûlons aussi du combustible dans les centrales afin de faire bouillir de l'eau et d'obtenir de la vapeur. La vapeur fait fonctionner des machines qui produisent de l'**électricité**.

▷ Les avions à réaction consomment de grandes quantités de combustible. Celui-ci fournit à l'avion l'énergie nécessaire au décollage.

▽ La plupart des véhicules consomment de l'essence. Il s'agit d'un dérivé du pétrole.

▽ Les trains peuvent être mus par la vapeur. L'énergie provient du charbon qui brûle dans le moteur.

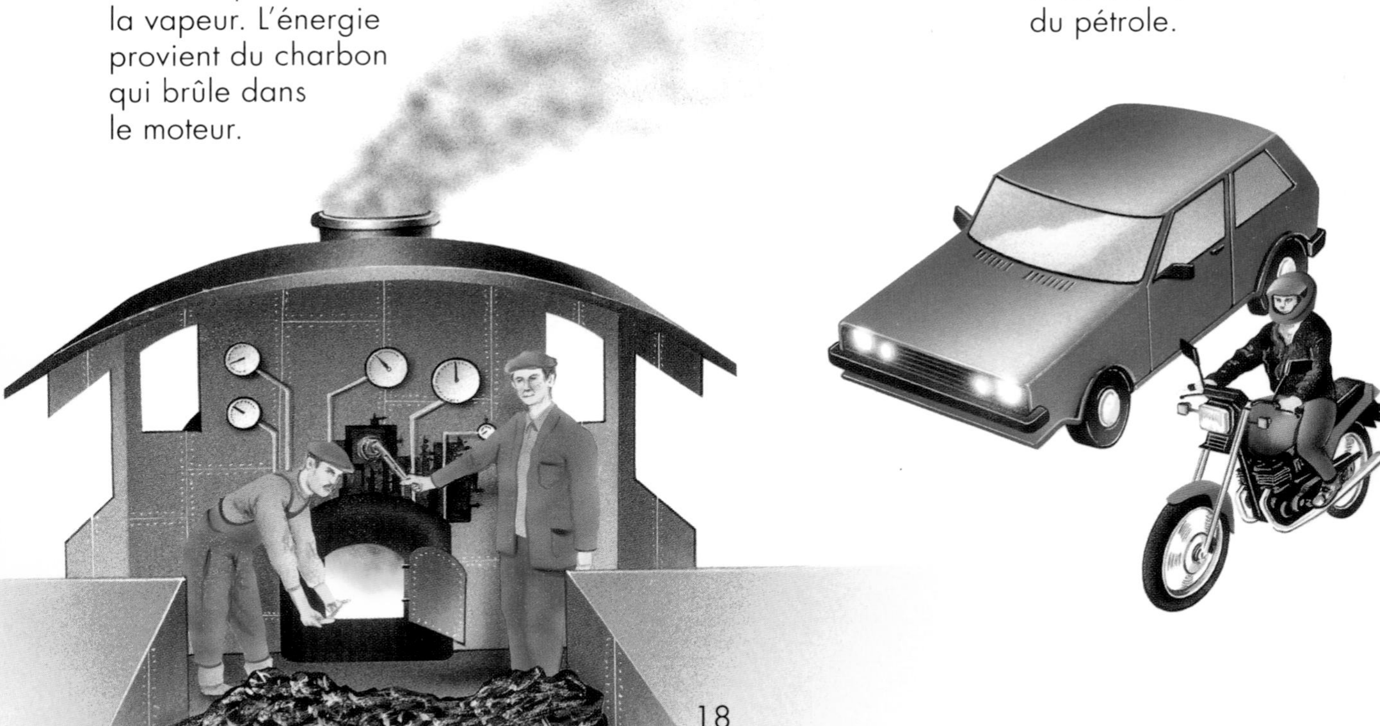

▷ De nombreuses centrales électriques brûlent du charbon.

Les feux de forêt

Chaque été, d'immenses étendues de forêt sont détruites par les incendies. La plupart des feux de forêt sont dus à l'imprudence de l'homme qui allume des feux de camp. Lorsque l'herbe et le bois sont secs, la moindre étincelle peut dégénérer en incendie. Celui-ci peut aussi être provoqué par la foudre. Les éclairs sont d'impressionnantes étincelles chargées d'électricité. Si un éclair frappe un arbre, celui-ci risque de prendre feu.

▷ Chaque année, les forêts sont ravagées par des feux. Ceux-ci détruisent des milliers de plantes et d'animaux.

▽ Les promeneurs doivent faire preuve de prudence.
Les feux qui couvent peuvent enflammer les herbes et broussailles.

◁ Après l'incendie, il faudra des années à la forêt pour repousser.

La pollution par le feu

Brûler des combustibles dégage des fumées et des gaz. Certains peuvent être dangereux. Lorsque d'importantes quantités de ces gaz sont relâchées dans l'atmosphère, celle-ci est polluée. La faune et la flore en souffrent. Nous pouvons contribuer à mettre un frein à la pollution en consommant moins de combustibles. De nos jours, des gens étudient de nouvelles sources d'énergie.

▷ Tous les feux dégagent des gaz. Quand on brûle du caoutchouc, une épaisse fumée noire, toxique, s'échappe.

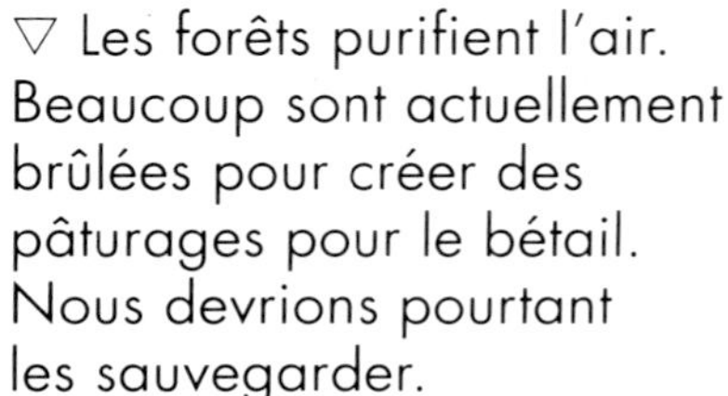

▽ Les forêts purifient l'air. Beaucoup sont actuellement brûlées pour créer des pâturages pour le bétail. Nous devrions pourtant les sauvegarder.

▽ Cette centrale capte l'énergie solaire sans polluer.

Le feu et les catastrophes

Le feu peut engendrer de terribles catastrophes. Lorsque les volcans entrent en éruption, ils crachent de la lave rougeoyante. Celle-ci brûle tout sur son passage. Il arrive que des avions et voitures prennent feu en cas d'accident. Le feu est souvent intensifié par le combustible que le véhicule renferme. Fréquemment, des bâtiments sont la proie des flammes. Les responsables sont souvent les installations de chauffage ou d'électricité défaillantes, les cuisinières ou la cigarette !

▷ Le feu va s'étendre davantage si ce bâtiment contient des meubles et autres accessoires qui s'enflamment facilement.

▽ Les avions transportent d'immenses quantités de carburant. Lors d'un accident, cela peut engendrer des incendies très importants.

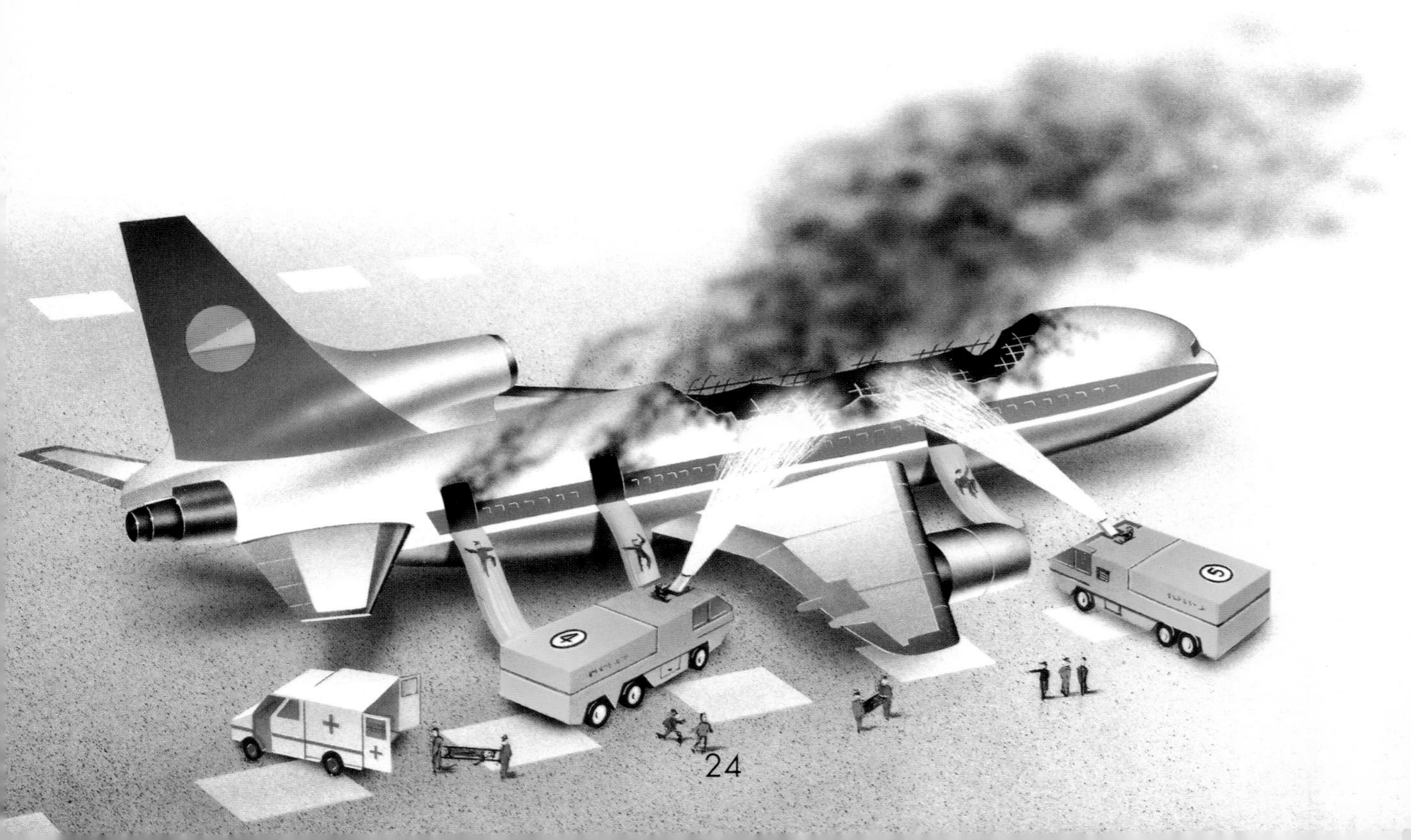

La lutte contre le feu

La lutte anti-incendie est une activité très périlleuse et exigeant de grandes compétences. Les personnes qui luttent contre le feu ont suivi un entraînement pour savoir à quel endroit attaquer le feu. Elles savent également comment sauver des victimes et éviter l'étendue de l'incendie. Il existe divers équipements en fonction du type d'incendie. Les feux de forêt sont parfois éteints par des **canadairs** chargés de grandes quantités d'eau.

▷ Des avions spéciaux sont utilisés pour répandre de grandes quantités d'eau sur de grandes étendues en feu.

▷ Chaque maison devrait être équipée d'un extincteur pour éteindre les petits feux.

▷ Les pompiers ont des camions munis d'une autopompe et d'équipements spéciaux. Ils relient leur lance à incendie à la canalisation souterraine prévue sur la rue.

Le feu et la sécurité

Le feu peut blesser et tuer des gens. Il peut aussi anéantir des bâtiments, tuer des animaux et des plantes. Il est capital de pouvoir prévenir un incendie. Chacun doit savoir comment réagir quand un feu se déclenche. Le feu s'étend rapidement quand il y a beaucoup d'air. Il faut donc fermer les portes et les fenêtres ou, s'il s'agit d'un petit foyer, le recouvrir d'une couverture.

▷ Les exercices de routine constituent une bonne façon de préparer les gens à réagir correctement en cas d'incendie.

▽ Si tu appuies sur le bouton d'une alarme semblable, tu déclenches une sonnerie qui avertit les autres qu'un incendie a commencé.

△ Chaque habitation devrait être équipée d'un détecteur de fumée. Celui-ci signale très tôt le début d'un incendie.

▽ La plupart des meubles de fabrication récente sont réalisés avec des matériaux qui ne s'enflamment pas facilement.

▷ Dans les lieux publics, les sorties de secours sont toujours clairement indiquées.

Quelques choses à faire

- Établis une liste des choses qui ont pu être réalisées ou qui ont changé en raison de la chaleur. Par exemple : du verre, du métal en fusion, de la poterie, des aliments cuits etc.

- Imagine un « code du feu » pour ta maison. Inscris où se trouvent les sorties de secours. Comment pourrais-tu prévenir les autres occupants de la maison qu'un feu se déclare ? Vérifie que tu disposes d'un détecteur de fumée et d'un extincteur.

- Réalise un collage sur le thème du feu. Tu pourrais rassembler des images représentant le Soleil, des volcans, des feux de forêt et des éclairs.

- Essaie de visiter une fonderie où des personnes soufflent le verre pour fabriquer des verres et des bouteilles à partir de verre fondu.

Glossaire

canadair: (nom déposé) avion équipé de réservoirs à eau, pour lutter contre les incendies de forêt

Celsius: astronome et physicien suédois qui créa l'échelle thermométrique centésimale à laquelle son nom fut donné

combustible: matériau tel que le bois ou le charbon qui dégage une énergie lorsqu'on le brûle

écorce: (ou croûte terrestre) la surface de roches dures qui recouvre la Terre

électricité: forme d'énergie associée à des charges électriques au repos ou en mouvement. Cette énergie est utilisée pour générer de la lumière ou de la chaleur, et pour faire fonctionner des moteurs.

énergie: capacité de fournir un travail. La chaleur et la lumière sont des formes d'énergie.

en fusion: caractérise une roche ou un métal qui passe à l'état liquide sous l'action d'une chaleur intense

gaz: substance qui n'est ni liquide ni solide. L'air est un mélange de gaz.

industrie: ensemble des activités économiques qui produisent des biens matériels par la transformation des matières premières

lave: roche fondue qui s'écoule des volcans en éruption

magma: roche fondue à l'intérieur de la Terre

oxygène: gaz dont presque tous les êtres vivants ont besoin pour vivre

température: grandeur physique qui caractérise de façon objective la sensation subjective de chaleur et de froid

Index

Origine des photographies :
Page 19 : Austin J. Brown Aviation Picture Library ; page 27 : Bruce Coleman Limited ; page 23 : Eye Ubiquitous ; page 10 : Chris Fairclough Colour Library ; pages 3, 9, 15, 17, 21 : Robert Harding Picture Library ; page 5 : Robinson/Oxford Scientific Films ; page 25 : Sefton Photo Library ; page 29 : Shout ; page 7 : Zefa Picture Library.